Le bedon de madame Loubidou

Marie-francine Hébert

Guillaume Perreault

À ma fille Lou et à ma petite-fille
Billie qui m'ont inspiré cette histoire.
M.-F. H.

Pour Arthur, Roxanne et Julien.
G. P.

Les 400 coups

Qui se cache dans le bedon
de madame Loubidou ?

Tout le monde se pose la question.

Youhou, c'est moi !

dit une petite voix à l'intérieur
du bedon de madame Loubidou.
Mais personne ne l'entend.

L'oiseau des environs regarde madame Loubidou en pépiant.
Il a bien peur que ce soit un chat qui se cache dans son bedon.

– La preuve? Tout le monde passe son temps à le flatter.

– Il y a déjà le chat de la maison qui veut me manger tout rond ! Bientôt, ils seront deux, pauvre de moi !

Il raconte n'importe quoi, celui-là, une vraie cervelle d'oiseau!

dit une petite voix à l'intérieur du bedon de madame Loubidou. Mais personne ne l'entend.

Blotti contre le bedon de madame Loubidou,
le chat de la maison ronronne.
Il est sûr de savoir ce qui y trotte,
car sa maîtresse n'arrête pas
de grignoter du fromage.

– C'est une belle grosse souris !
Qui ne s'envolera pas comme l'oiseau
quand j'essaierai de l'attraper. Miam !
Je vais me régaler.

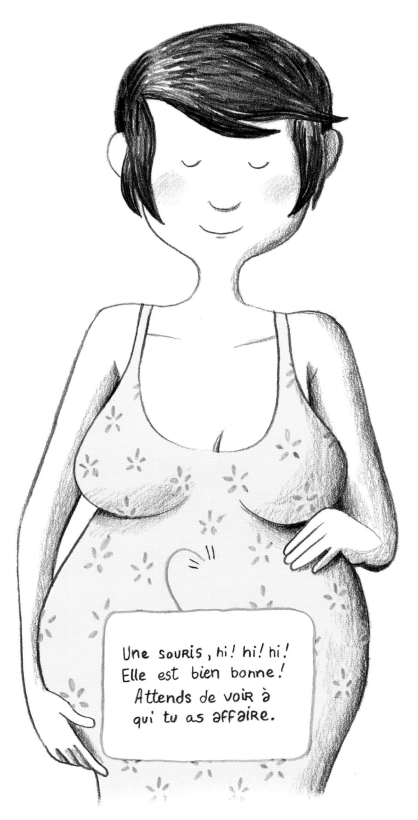

dit une petite voix à l'intérieur du bedon
de madame Loubidou.
Mais personne ne l'entend.

Trop souvent seul dans un coin, le ballon
se réjouit à la vue du bedon de madame Loubidou.

Il est facile de deviner ce qui gonfle
à l'intérieur : un ballon !

– Enfin, j'aurai un ami pour me tenir compagnie !
Je l'imagine : rose, bleu, vert ou orangé…
rayé, bariolé, à pois ou à carreaux…

Je ne suis pas
un ballon, mais je t'en
ferai voir de toutes
les couleurs !

dit une petite voix à l'intérieur du bedon
de madame Loubidou.
Mais personne ne l'entend.

Maman Loubidou est certaine et papa Loubidou
est d'accord : c'est un bébé qui se cache
dans le bedon. On peut même le sentir bouger.
Toute la famille est emballée.

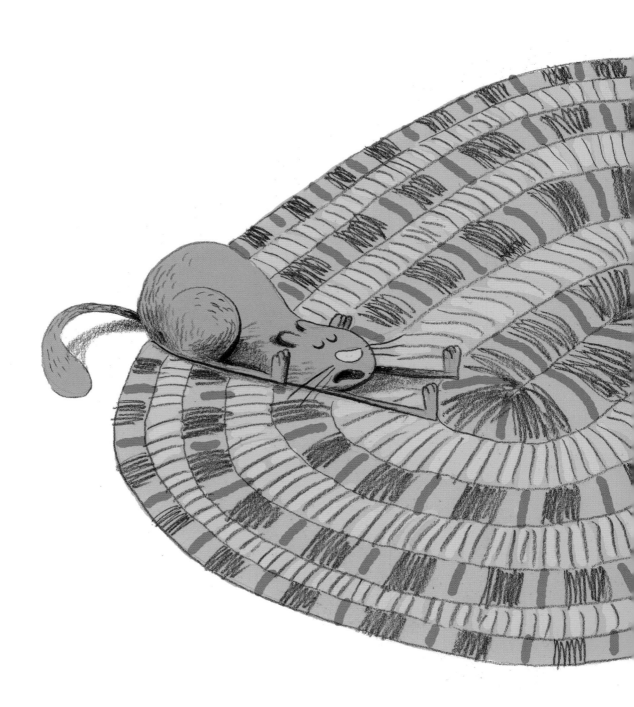

– Un bébé garçon, c'est évident, dit le grand frère.
Et si je me fie à ses coups de pied, il sait déjà jouer
au soccer. Ça tombe bien, il manque justement un
joueur dans l'équipe.

– Nous saurons si c'est une fille ou un garçon
quand il arrivera, répondent papa et maman Loubidou.

– Je veux que tu sois un garçon ! Dis oui… Dis oui… supplie le grand frère en couvrant de bisous le ventre de sa mère.

Je ne peux pas voir si je suis une fille ou un garçon, il fait trop noir ici !

dit une petite voix
à l'intérieur
du bedon de madame
Loubidou.
Mais personne
ne l'entend.

– Moi, je veux que tu sois une fille ! Dis oui… Dis oui…
supplie la grande sœur. Tu seras ma poupée chérie.
Je pourrai t'habiller, te déshabiller, te coiffer.
Je t'apprendrai tout, parce qu'un bébé ne sait rien.
Mais ne t'inquiète pas, je te dirai quoi faire.

Je sais au moins une chose: je ne suis pas une poupéé!

dit une petite voix à l'intérieur du bedon de madame Loubidou. Mais personne ne l'entend.

– J'espère qu'il aura les fossettes de sa maman
et les yeux doux de son papa, dit la grand-maman.

– J'espère qu'il aura un poil sur le caillou, ajoute le grand-papa.

La famille éclate de rire.

– Attendre un bébé, c'est comme recevoir un paquet cadeau, dit le papa.

– On a hâte de voir ce qu'il y a dedans, ajoute la maman.

Tout le monde est d'accord.
Sauf le bébé.

Un chat,
une souris,
un ballon,
un joueur de soccer,
une poupée,
un paquet cadeau,
et quoi encore...
Ça suffit comme ça!
Je suis moi!
Avez-vous compris?

dit une petite voix à
l'intérieur du bedon
de madame Loubidou.
Mais personne ne l'entend.

Alors, pour se faire entendre, le bébé
sort du bedon de madame Loubidou
en lâchant un grand cri :

OUUUAAH!

Les parents sont en admiration devant
le nouveau bébé ! Les grands-parents aussi, même
s'il n'a pas de fossettes ni de poil sur le caillou.

– Un amour… répètent-ils.

Il en faudra du temps avant de pouvoir jouer avec lui.

– Il ne sait rien faire d'autre que réclamer du lait…
dit le grand frère.

– …et des câlins, ajoute la grande sœur.

– Tout comme vous quand vous êtes venus au monde,
leur rappellent le papa et la maman.

– Impossible ! s'exclament le grand frère
et la grande sœur.

Nous remercions le Conseil des arts du Canada de l'aide accordée à notre programme de publication et la SODEC pour son appui financier en vertu du Programme d'aide aux entreprises du livre et de l'édition spécialisée.

Nous reconnaissons l'aide financière du gouvernement du Canada par l'entremise du Fonds du livre du Canada (FLC) pour nos activités d'édition.

Gouvernement du Québec – Programme de crédit d'impôt pour l'édition de livres – Gestion SODEC

Le bedon de madame Loubidou a été publié sous la direction de Renaud Plante.

Design graphique : Bruno Ricca
Révision : Fleur Neesham
Correction : Marie Lamarre

Dépôt légal – 2e trimestre 2015
Bibliothèque et Archives nationales du Québec
Bibliothèque et Archives Canada

ISBN 978-2-89540-637-2

Loi 49-956 du 16 juillet 1949 sur les publications destinées à la jeunesse.

Catalogage avant publication de Bibliothèque et Archives nationales du Québec et Bibliothèque et Archives Canada

Hébert, Marie-Francine, 1943-
 Le bedon de madame Loubidoux
 Pour enfants.
 ISBN 978-2-89540-637-2
 I. Perreault, Guillaume, 1985- . II. Titre.

PS8565.E2B42 2015 jC843'.54
C2015-940359-6 PS9565.E2B42 2015